P9-CCO-881

3 1668 05153 4771

Casi siempre digo que lo mejor de escribir es compartir... lo
es escribirlo, por tanto te comparto esta escritura que no es mi saber
pero si es mi sentir.

Miranda, mi inspiración
Samantha, mi preocupación
Martha, mi soporte
Marcelino, mi tenacidad
Gaby (Luz Ma.), mi sensibilidad

A Tomás...donde estés

La vida siempre da la oportunidad de reivindicarte y hoy tocando la puerta
de los 40, a casi 5 años de entrega total como profesional de la psicología
encuentro la dicha de tener a alguien que no solo cree en mí,
también me respeta, y yo lo amo.

ESPANOL 302.343 FERRO
HERNANDEZ 2012
Ferro Hernandez, Osvaldo
Bullying

08/20/2013

BULLYING
¿Mito o realidad?

Osvaldo Ferro Hernández

EDITORIAL
TRILLAS

México, Argentina, España,
Colombia, Puerto Rico, Venezuela ®

FORT WORTH LIBRARY

Catalogación en la fuente

Ferro Hernández, Osvaldo
Bullying : ¿mito o realidad?. -- México : Trillas, 2012
(reimp. 2012).
80 p. ; 23 cm.
Bibliografía: p. 77-78
Incluye índices
ISBN 978-607-17-1094-9

1. Escuelas. 2. Comunidad y escuela. 3. Agresividad
(Psicología). I. t.

D- 371.58'F566b   LC- LB3013.3'F4.2   5531

La presentación y disposición en conjunto de BULLYING. ¿Mito o realidad? son propiedad del editor. Ninguna parte de esta obra puede ser reproducida o trasmitida, mediante ningún sistema o método, electrónico o mecánico (incluyendo el fotocopiado, la grabación o cualquier sistema de recuperación y almacenamiento de información), sin consentimiento por escrito del editor

Derechos reservados
© 2012, Editorial Trillas, S. A. de C. V.

División Administrativa,
Av. Río Churubusco 385,
Col. Gral. Pedro María Anaya,
C. P. 03340, México, D. F.
Tel. 56884233, FAX 56041364

División Comercial,
Calzada de la Viga 1132,
C. P. 09439, México, D. F.
Tel. 56330995, FAX 56330870

Tienda en línea
www.etrillas.com.mx

Miembro de la Cámara Nacional de
la Industria Editorial
Reg. núm. 158

Primera edición 2-TR
ISBN 978-607-17-1094-9

Reimpresión, 2012

Se imprimió en
Encuadernaciones Maguntis, S. A. de C. V.

B 105 TW

Presentación

Dada la problemática social que conlleva, hoy día la violencia en la escuela tiene gran difusión en los medios informativos.

Desde hace varias décadas, investigadores de muchos países informan de las serias consecuencias que tiene como resultado el acoso escolar o *bullying*, que en casos extremos puede llevar al suicidio, de lo que lamentablemente tenemos muchos ejemplos en México.

Esta obra constituye una herramienta de apoyo para los padres y docentes en la que encontrarán información clara y precisa sobre el problema del abuso escolar y qué puede hacerse para erradicarlo.

Así pues, el contenido de la obra se desarrolla en cuatro capítulos. En el primero de ellos se aborda de forma general qué es el *bullying* y cuáles son sus principales causas. En el segundo capítulo se trata el tema de la educación en valores como arma fundamental para prevenir cualquier tipo de violencia y conducta negativa. En el capítulo 3 se proporciona una lista de signos o síntomas, a modo de guía, para que los padres de familia descubran si su hijo es víctima de acoso. Asimismo, se aborda de forma breve en qué consiste el *cyberbullying*, el *sexting* y el *cutting*, y las consecuencias que esto representa tanto para las víctimas como para los agresores.

Finalmente, en el último capítulo se proponen algunas sugerencias que pueden ponerse en práctica tanto en el hogar como en la escuela para prevenir y detectar el *bullying*.

El libro concluye con un anexo que contiene los datos estadísticos que complementan y sustentan lo dicho a lo largo de la obra. Es decir, el lector podrá constatar en las diferentes gráficas cómo el abuso o acoso escolar es una realidad en los distintos niveles educativos de México.

Falta mucho por decir acerca del fenómeno *bullying*, por eso es preciso empezar a hacer conciencia sobre el problema en los padres de familia y profesores que tienen a cargo la educación de nuestros niños, adolescentes, y jóvenes. Esto con el fin de que se den cuenta que hoy, más que nunca, es necesaria su participación activa y conjunta para ofrecer soluciones que realmente puedan llevarse a la práctica y así poder contrarrestar este problema desde sus raíces.

EL AUTOR

Índice de contenido

Presentación   5

Cap. 1. ¿Mito o realidad?   9

Cap. 2. Pérdida de valores   19

Justicia, 26. Orden, 26. Responsabilidad, 26.
Generosidad, 27. Respeto, 27. Laboriosidad,
28. Sinceridad, 28. Alegría, 29. Fortaleza, 29.
Austeridad, 30. Amistad, 30.

Cap. 3. *Cyberbullying, sexting* y *cutting*   33

Signos de estrés en los adolescentes, 35.
Cyberbullying, 38. *Sexting*, 41. *Cutting*, 42.

Cap. 4. Prevención del *bullying*   45

¿Qué puede hacerse desde la familia?, 47. El
frenado, 51. ¿Cómo prevenir desde la escuela?, 54.

A modo de conclusión   **57**

Anexo   **61**
    Secundarias, 62. Preparatorias y bachilleratos,
    65. Universidades, 68. Gráficas comparativas
    (total de hombres y mujeres en los tres niveles
    educativos), 72. Conclusiones, 75.

Bibliografía   **77**
Índice analítico   **79**

1

¿Mito o realidad?

Descubramos en este capítulo cómo la práctica del *bullying* dejó de ser un mito para convertirse en una terrible y cruda realidad que estamos viviendo en las escuelas de México.

El *bullying* se entiende como el acoso escolar, hostigamiento y maltrato verbal o físico entre escolares. De alguna manera siempre ha existido en los centros educativos; sin embargo, en los últimos años este fenómeno no sólo ha aumentado en número de casos, sino también en violencia, en la agresividad de las acciones que van dirigidas hacia las víctimas.

Por eso resulta de gran importancia que los padres de familia estemos conscientes de que **sí** existe la violencia en las escuelas a las que asisten nuestros hijos, y que no importa qué tan costosas sean las colegiaturas o qué tan estrictos sean los reglamentos escolares, nuestros hijos viven violencia entre iguales, lo que provoca enormes problemas de conducta escolar e incluso de aislamiento y de deserción.

Día a día nuestros hijos están expuestos a la violencia, no sólo la reciben a través de los diferentes medios de comunicación o de videojuegos, también desde la computadora de casa conectada a Internet, del cibercafé y hasta de un simple teléfono portátil desde el cual pueden obtener imágenes o fotografías "nocivas" o videos de programas llenos de mordacidad y fanatismo, los cuales comparten con sus amigos, con sus compañeros y compañeras de escuela a través de su conexión inalámbrica *Bluetooth*, que cada vez consigue más afiliados a este tipo de escenas agresivas, y con la frecuencia que las observan se vuelven cotidianas y "normales".

Por tanto, maltratar a un compañero o compañera resulta una "moda" para los estudiantes de todos los niveles educativos. Y lo único que tienen que hacer es buscar un *bullied,* que es como se le denomina al compañero o compañera que pretenden molestar. Ante esto, inevitablemente surge una pregunta: ¿por qué molestar a un compañero? La respuesta es muy compleja, en principio tendríamos que adentrarnos en el pensamiento del *bully* que es como también se le denomina al "maltratador".

A lo largo de casi un año de investigación y de haber realizado más de 5000 encuestas en distintas escuelas, tanto públicas como privadas (estas últimas de diferentes costos y dimensiones), entre jóvenes de 11 y 23 años de edad, siempre obtuve las mismas respuestas respecto a las características de un *bully*:

1. El *bully* no agrede solo, necesita de uno o más compañeros que lo apoyen.
2. El *bully* no tiene una razón particular por la que decide hostigar, agredir.
3. El *bully* no necesariamente es más fuerte físicamente.

El **bully** es el hostigador, aunque realmente lo que busca no es ser agresivo, la realidad es que requiere ayuda.

12

4. El bully agrede a alguien que posee algo que él no tiene. Por eso puede hostigar al:

- Delgado.
- Robusto.
- Pobre.
- De lentes.
- *Nerd.*
- Introvertido.
- Rubio.
- Adinerado.
- Guapo.
- Pelirrojo.
- Atractivo o bonita, etcétera.

Entonces el *bully* ataca a quien sea, elige a su *bullied* y lo hace su prisionero "de por vida", y aunque su víctima haga todo lo posible por ganarse o agradar a su agresor, no será fácil que encuentre la manera de escapar de esta situación. Así pues, pareciera que el *bully* y sus acompañantes son insaciables con el abuso que manifiestan a diario con su *bullied*; y es en este proceso donde el mito se vuelve **realidad.**

Observemos, pues, lo susceptibles que son nuestros hijos ante el ataque inminente de

El **bullied** o buleado es la víctima y mientras sienta miedo no se defenderá y estará a merced de sus bullys.

13

los demás compañeros violentados por sus frustraciones, traumas, maltratos familiares, sentido de pertenencia; problemas que se convierten en resentimientos y que exteriorizan de forma agresiva en el único lugar donde se sienten "poderosos" o pueden obtener el reconocimiento que tanto desean: la escuela.

Esta es la realidad que viven nuestros jóvenes estudiantes. Llegan a un ambiente lleno de obstáculos, haciendo que su trayecto escolar sea más complejo. No sólo tienen que preocuparse por resolver de manera exitosa los retos académicos que se les presentan, también tienen que lidiar con sus problemas personales de autoestima e identidad, lo que los hace vulnerables y candidatos para ser hostigados.

Ya hemos señalado que la falta de reconocimiento es una causa que puede violentar a los jóvenes, y que una forma de externar esa violencia es buscar a algún compañero que, a su criterio (mal criterio), es el ideal para ser molestado no sólo de forma **física** (empujones, golpes, agresiones con objetos, etc.), también **verbal** (insultos, mensajes o llamadas telefónicas ofensivas…), **psicológica** (amenazas para obligar a la víctima a realizar cosas que no debe ni quiere hacer) y **social** (marginando a la víctima entre amigos o compañeros de clase).

Lo lamentable de esta situación es que el hostigador no actúa solo, siempre busca a un "aliado" y éste a otro, quienes carecen de autoestima, pero al unirse sienten que adquieren poder con su pequeña pero ya significativa "pandilla", con la cual se atreverán a molestar a ese compañero que representa todo lo que ellos no tienen y por eso, piensan, debe ser "castigado".

Sin embargo los agresores, sin darse cuenta, también sufren los efectos del problema, pues se acostumbran a vivir abusando de los demás, lo que impide que se integren de forma adecuada en la vida social de su escuela. Además, con frecuencia trasladan ese comportamiento agresivo a otras relaciones de convivencia, lo que significa graves problemas de integración social que puede llevarlos a futuras conductas delictivas.

14

Así pues, el *bully* nunca logrará satisfacer la necesidad que lo lleva a la agresión. Y esto sucederá mientras los adultos cercanos a él (padres de familia, tutores, profesores) no actúen de manera directa y clara.

La violencia que viven los estudiantes en las escuelas los lleva al aislamiento, lo que repercute en su autoestima.

Constantemente nos preguntamos: "¿Qué es lo que he hecho mal como padre que mi hijo no me hace caso?, no me puedo comunicar con él." Y es que, la noble labor de ser padres se complica cada día más con tantas actividades que tenemos que realizar. Esto se debe, en gran medida, a que la vida se ha vuelto más "cara", lo que significa que tanto el papá como la mamá tengan que trabajar para sostener a la familia. Antaño, las jornadas laborales eran más cortas (recuerdo que mi padre sólo trabajaba de ocho de la mañana a tres de la tarde y el resto del tiempo lo pasaba en compañía de mi mamá y nosotros) y el salario de un solo padre alcanzaba para todo. Actualmente, las jornadas de trabajo son más largas y aun mal pagadas, lo que ocasiona que los padres de familia tengan que buscar más de un empleo e incluso trabajar fines de semana y días festivos. Esto trae como consecuencia que los hijos permanezcan solos en casa por largos periodos de tiempo, sin el cuidado de algún adulto que los apoye en sus tareas, que los escuche y aconseje en sus problemas escolares; que les diga qué es lo que pueden ver en la televisión o Internet; en pocas palabras, que vigile y oriente su conducta.

Al carecer de esto, es lógico que los hijos comiencen a tomar sus propias decisiones (la mayoría de las veces equivocadas) a muy temprana edad, que elijan modelos de conducta inadecuados y que se reúnan con chicos o chicas que influyan en su vida de forma negativa. Entonces, ¿qué podemos hacer ante tal situación? Desafortunadamente no contamos con una varita mágica que resuelva nuestros problemas de la noche a la mañana, pero sí tenemos la posibilidad de cambiar nuestra forma de vida con el fin de recuperar a la familia, a nuestros hijos.

Un buen comienzo sería reflexionar acerca de cuáles son nuestras verdaderas prioridades y, sobre todo, trabajar en la "culpa" que sentimos al dejar a los hijos tanto tiempo solos, pues al sentirnos mal equivocamos la manera en que los educamos. Es decir, a veces pensamos que al no llamarles la atención por algo que hicieron, o al cumplirles todos sus deseos compensamos nuestra ausencia, el poco tiempo que les dedicamos. Sin embargo, esto lejos de ayudarles los perjudica aún más, pues los hijos se dan cuenta de la culpa que sienten sus padres y entonces se aprovechan de la situación y se sienten más libres de hacer lo que quieran.

Así pues, lo mejor sería que platiquemos con nuestros hijos del porqué tenemos que trabajar y dejarlos tanto tiempo solos; hacerlos comprender que todo lo que realizamos es por su bien y para que tengan una mejor calidad de vida. Y que lo único que requerimos de ellos es su comprensión y apoyo, que se comprometan con las tareas que les corresponden: estudiar, ordenar sus cosas personales, mantener limpia su área de trabajo, etc. Sobre todo, no debemos olvidar que el tiempo que les dediquemos a nuestros hijos debe ser de calidad, con otras palabras, que en esos breves tiempos de convivencia los escuchemos, les preguntemos cómo se sienten, cómo les va en la escuela, qué problemas o temores tienen, y tratar de darles el mejor consejo. De esta manera nuestros hijos, a pesar de nuestra ausencia, se sentirán amados, sabrán que nos preocupamos por ellos y que ante cualquier problema cuentan con nuestro apoyo.

Escuchemos pues a nuestros hijos, platiquemos con ellos, sobre todo en su infancia y adolescencia, que es cuando se forma el carácter, y con toda seguridad formaremos buenos ciudadanos que transformarán de manera positiva a nuestra Nación.

Pérdida de valores

Hoy día nuestros niños, adolescentes y jóvenes viven una serie de situaciones tan distintas de las que vivíamos hace no más de 20 años, y es que la carencia de valores en nuestra sociedad y en el mundo en general, es una realidad que observamos diariamente en los distintos medios de comunicación: radio, televisión, periódicos, Internet. Este problema lo viven las familias de todos los estratos sociales, es decir, desde las más ricas hasta las más pobres. Es por eso que uno de los más grandes y valiosos regalos que pueden hacer los padres a sus hijos es el amor y la educación en valores que les sirvan como guía de su conducta.

Pero, ¿qué entendemos como valores? ¿Dónde inicia la educación en valores?, ¿qué ha contribuido a la pérdida de los mismos?

El concepto de valores abarca distintos significados y se aborda desde diversas perspectivas y teorías. Para fines de esta obra, entenderemos como *valores* al conjunto de criterios o normas que orientan nuestra vida en la dirección correcta, que nos dan identidad y que nos hacen diferentes de las demás personas. De acuerdo con los valores que tengamos, actuaremos de una u otra manera y tomaremos decisiones

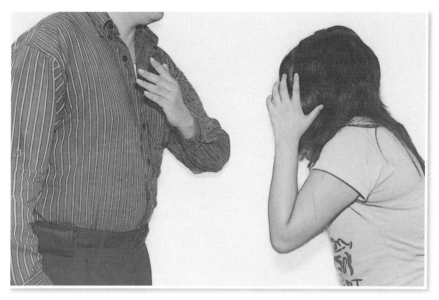

La violencia es un signo de la pérdida de valores. Maltratar física o verbalmente a alguien no es señal de fuerza o de superioridad, es una actitud indignante.

relevantes que nos llevarán a ser mejores personas a nivel personal, familiar, grupal y social.

Muchas veces se piensa que es en la escuela donde se adquieren los valores, que los docentes son los responsables de trasmitirlos; sin embargo, el primer lugar donde se aprenden es en la familia y comienza en la niñez. El hogar es el punto de partida de la enseñanza de los valores, mediante ellos los padres preparan al niño a actuar en sociedad, a convivir.

La familia es el lugar donde la persona nace y se desarrolla. Y aunque actualmente los modelos de familia constantemente cambian, sea cual sea el tipo de familia de que se trate, es importante subrayar que es en ella donde nos sentimos amados, cómodos, seguros y aceptados. Por tanto, "la importancia y trascendencia de una familia estable con una buena educación familiar es evidente y, al mismo tiempo, también resulta clara la consecuencia negativa para los miembros de la familia cuando ésta no posee las características mencionadas".*

No existe una varita mágica que nos prepare de la noche a la mañana para ser padres, y al nacer nuestro hijo tampoco nos regalan un instructivo que nos indique los pasos detallados y precisos para educarlo. Así que "educar" representa un gran reto para los padres o para cualquier adulto que esté a cargo de los hijos.

Educar no es una tarea sencilla, pues no se trata sólo de enseñar un conjunto de conocimientos, es formar a la persona en todas sus dimensiones: cuerpo, mente y espíritu. De ahí la importancia de educar en valores.

Hoy día, con la creciente desintegración familiar, cada vez se inculcan menos los valores en la familia. Anteriormente, la educación "doméstica" era el eje principal de trasmisión de valores. La mamá, además de realizar las múltiples labores del hogar, estaba al pendiente de guiar a los hijos, pues el papá salía temprano de casa para trabajar y traer el sustento a la familia. Pero un buen día la mamá también tuvo que salir de casa por distintas razones (económicas y/o profesionales), y entonces cambió el rol de educadora que se le asignó socialmente.

Con el cambio de rol, las mamás comenzaron a pasar menos tiempo con los hijos, y éstos quedaron bajo el cuidado del hermano o hermana mayor, de la abuelita, la tía, la vecina o la nana. A veces, estas personas no son las más indicadas para educar a los niños o adolescentes, y menos aún para inculcar los valores que son necesarios en esta etapa de su edad.

Por lo anterior, resulta fundamental que los papás recuerden que su papel como educadores de sus hijos es insustituible. Que lo que ellos no hagan por sus hijos, nadie lo hará. No se puede educar sin convivir con los hijos, ellos necesitan la guía o parámetro conductual de sus padres o del adulto que tenga a cargo su educación.

*Martha Guerra de Alcántara, *Prevenir el bullying desde la familia*, Minos Tercer Milenio, México, 2009, p. 26.

23

Además, es importante que los papás tengan en cuenta que deben ser coherentes con lo que dicen y hacen, pues los niños crecerán haciendo lo que ellos *hacen*, en lugar de lo que *dicen*. Por ejemplo, no se puede pedir a un niño que no diga "malas palabras" si en casa los papás se comunican o dicen groserías; si los padres no tienen hábitos de higiene, cómo pueden pedir a su hijo que sea limpio. Entonces, como dice el dicho, "hay que enseñar con el ejemplo". Así pues, los niños y jóvenes adoptarán los valores como parte de su vida si observan que éstos son un factor esencial y positivo en la vida de sus padres.

Los papás, entonces, debemos enseñar a nuestros hijos a percibir los valores, que se den cuenta de que actuar así es valioso. De esta manera ellos los adoptarán de forma espontánea, no como una imposición, y los reflejarán en actitudes y conductas positivas.

Por otra parte, continuamente debemos reforzar los valores que trasmitimos a nuestros hijos, pues aunque aquéllos se inculcan en el núcleo familiar, los niños y adolescentes también están expuestos a aprender otro tipo de valores (antivalor) en los lugares o ambientes donde emplean su tiempo, por ejemplo, al ver televisión (donde generalmente las actitudes, opiniones o comportamientos que se trasmiten no siempre ayudan a dignificar a la persona, sino que la ridiculizan o degradan) al navegar en Internet (en la que tienen acceso a juegos caracterizados por escenas violentas o "grotescas"). De aquí la importancia de que los padres pongamos atención en las actividades que realizan nuestros hijos; sólo de esta manera podremos controlar lo que puede ser negativo para sus vidas, tanto a nivel físico como mental y espiritual.

Aprovechemos el tiempo que compartimos con los hijos, recordemos que lo importante es la "calidad", no la cantidad. Más que regañar o prohibir, hay que escuchar y orientar.

Los valores se tienen o no, y al adquirirlos se obtiene un beneficio, tanto para la persona que lo pone en práctica como para quien lo recibe. Así que, aunque son complejos y de

24

varias clases, todos los valores tienen como propósito mejorar la calidad de nuestra vida, pues fomentan nuestro desarrollo personal, espiritual y profesional.

Existen diferentes tipos de valores, por ejemplo: universales, personales, familiares, espirituales, éticos y morales, intelectuales, materiales, afectivos. De éstos, los que nos interesa destacar son los éticos y morales, pues son los valores que dan sentido y orientan nuestra conducta; a partir de ellos decidimos cómo actuar frente a las situaciones que nos plantea nuestro entorno. Algunos ejemplos de ellos serían:

- Alegría.
- Amistad.
- Amor.
- Austeridad.
- Autenticidad.
- Bondad.
- Caridad.
- Compromiso.
- Dignidad.
- Ejemplo.
- Fidelidad.
- Fortaleza.
- Generosidad.
- Honestidad.
- Humanismo.
- Igualdad.
- Integridad.
- Justicia.
- Laboriosidad.
- Lealtad.
- Libertad.
- Orden.
- Prudencia.
- Rectitud.
- Respeto.
- Responsabilidad.
- Sentido del deber.
- Servicio.
- Sinceridad.
- Solidaridad.
- Templanza.
- Valor.
- Verdad.

La lista podría ser interminable. Enseguida hablaremos brevemente de los valores cuya trasmisión y adquisición es fundamental no sólo para el crecimiento personal, sino también para formar hombres y mujeres útiles a la sociedad.

Son, pues, tan humanos los valores, tan necesarios, tan deseables, que lo más natural es que queramos vivirlos, hacerlos nuestros, defenderlos cuando estén en peligro o inculcarlos en donde no existan.

Justicia

Valor primordial que necesitamos rescatar en estos tiempos de decadencia, donde parece ser que cada quien sólo ve por sus propios intereses.

La justicia es darle a cada quien lo suyo, lo que corresponde de acuerdo con su dignidad, esfuerzo y trabajo, en concordancia con el cumplimiento de sus deberes. Este valor podríamos verlo como el **reglamento** que rige las relaciones humanas y que busca la igualdad entre los seres humanos, sin importar las diferencias individuales.

Orden

Valor que consiste en la realización de actividades que llevan a que se logre un fin, en un tiempo determinado y utilizando lo mejor posible los recursos disponibles. De cierta manera, todos los valores están relacionados, por lo que es necesario mencionar que junto con el orden van de la mano la responsabilidad y la disciplina.

El orden es el valor que nos ayuda a dirigir nuestra propia conducta. No es sólo mantener las cosas en su lugar, al fomentar este valor se adquiere el orden mental y emocional que necesita el ser humano en su pensamiento lógico y en su autocontrol. Por ello es necesario fomentar en los niños, en cualquier momento, el sentido del orden, por ejemplo: que guarden sus juguetes en un lugar determinado, que sigan el horario que se determine para que realicen sus distintas actividades: jugar, hacer tarea, ver televisión, dormir, etc. De esta manera, los niños comenzarán a adquirir el hábito del orden, y cuando sean adultos no les costará trabajo seguir con este valor, y trasmitirlo será muy fácil.

Responsabilidad

Este valor se refiere a realizar los deberes y compromisos que adquirimos y asumir las consecuencias de nuestros actos, ya sean buenos o malos. La responsabilidad también implica aprender a tomar en serio todo lo que hacemos en la vida.

Para fomentar este valor necesitamos poner el ejemplo con nuestros actos, es decir: cuando un hijo observa que nosotros no somos responsables en el trabajo, por ejemplo, él cuestionará por qué tiene que ser responsable en la escuela. Por otro lado, hay que animar a los hijos a que tomen sus propias decisiones, previendo las posibles consecuencias que resulten de ellas.

Generosidad

Dar a los demás es un acto muy noble, pero poder darse a los demás desinteresadamente es un acto de generosidad. La generosidad significa dar lo mejor de uno mismo a los demás en beneficio del bien común y de forma amorosa.

La generosidad es antagonista del egoísmo y del individualismo. Una manera de fomentar este valor en la infancia es, por ejemplo, cuando los niños no quieren prestar sus juguetes, esta es una buena oportunidad para alentarlos a compartir sus cosas. Al mismo tiempo les enseñaremos el valor del **agradecimiento**, recordándoles que siempre deben dar las gracias a los demás y pedir las cosas **por favor.**

Respeto

Uno de los valores más importantes que necesita conservar el ser humano a lo largo de su vida es el respeto, primero por uno mismo (autoestima) y luego por los demás.

Hay que reconocer el valor de uno mismo y el valor que tienen los demás como seres humanos únicos e irrepetibles. Y recordar que para poder convivir armónicamente en la familia, en la escuela, en el trabajo o en cualquier lugar donde se reúnen personas, es necesario el respeto por el otro.

Es importante subrayar que, aunque todos somos iguales, la jerarquía entre padres e hijos debe ser respetada para fomentar las normas y tener una sana interacción familiar. Al igual que los demás valores, el respeto también se trasmite con el ejemplo; los padres tenemos la obligación de enseñar a nuestros hijos que no debemos discriminar a los demás sólo porque piensan de forma distinta de nosotros y tampoco criticarlos.

Laboriosidad

Es necesario que desde la niñez se fomente en los hijos el valor del trabajo, darles responsabilidades en casa de acuerdo con su edad. Demostrarles con ejemplos que sólo con esfuerzo, orden y constancia puede conseguirse lo que uno se propone en la vida.

Es importante platicar con los hijos sobre las razones por las cuales deben realizar un determinado trabajo o labor en el hogar; que comprendan que es mediante la laboriosidad que se forman seres responsables, disciplinados, con buen manejo de tiempo y de orden.

Sinceridad

La sinceridad significa decir la verdad en todo momento y actuar en consecuencia con la misma. La etapa donde aprendemos a ser sinceros es en la niñez, por eso los padres deben estar atentos a sus actos, los niños imitan lo que ven en casa. Si les dicen "que siempre digan la verdad y que nunca mientan", ellos analizarán qué tan sinceros y honestos son sus padres. Es nuevamente el ejemplo la clave para que los niños se apropien de este valor.

Ser sinceros también implica aprender a ser **auténticos**, evitando las mentiras y los engaños, pues la sinceridad no sólo se ve en las palabras, sino también se demuestra por medio de nuestras actividades.

Alegría

Tal parece que en estos tiempos existe una regla (no escrita) que indica que todos estamos destinados a ser infelices, y por tanto a vivir tristeza y depresión –que dicho sea de paso, la depresión parece la enfermedad de moda entre los jóvenes–. La alegría es un sentimiento de satisfacción y agrado que se origina por algún estímulo tanto interno como externo. La alegría proviene del interior y se demuestra hacia el exterior.

Este valor al vivirlo en cualquier lugar e instante, no depende de las circunstancias que pueda presentar la vida, ni tampoco consiste en tener cosas. La alegría tiene que ver con la paz interior, es la consecuencia de una vida equilibrada.

La alegría es un valor que también se siembra en el hogar. Qué bonito es cuando en la familia puede vivirse un ambiente de armonía que se traduce en buen humor y optimismo. Ayudemos a nuestros hijos a encontrar la alegría interior, no la que produce el juguete nuevo o asistir a una fiesta o "antro" (en el caso de los adolescentes y jóvenes).

Fortaleza

Cuando hablamos de fortaleza no nos referimos a la física, sino a la firmeza de carácter que le permite al ser humano afrontar y superar sus dificultades, miedos y adversidades. El valor de la fortaleza nos hace capaces de vencer las dificultades, el temor ante una enfermedad, a resistir la falta de dinero o la pérdida de un ser querido.

El abatimiento y la apatía son contrarios a la fortaleza. Ésta es como el cimiento de los demás valores, pues si no hay esfuerzo, no es posible adquirir un valor. En un ambiente como el actual, la fuerza de voluntad es la que ayudará a nuestros hijos a afrontar las influencias negativas que la vida le ofrece continuamente.

Austeridad

En estos tiempos de crisis económica, este es un valor que necesitamos fomentar tanto en nuestros hijos como en nosotros mismos. La austeridad no significa "morirse de hambre" o no comprar lo necesario para vivir, sino ser mesurados en el modo de vivir, aprender a consumir sólo lo que se requiere y a disfrutar lo que se tiene.

No debemos dejarnos llevar por el "fantasma del consumismo" ni una sola vez en la vida. Por eso resulta importante educar a los hijos en el hábito de la moderación, hacerlos comprender el valor de la **sencillez de vida**. No compensemos el tiempo que no les damos con cosas materiales y enseñemos el justo valor del dinero.

Amistad

Este valor tiene su raíz en el amor. La amistad debe prevalecer desde el hogar y continuar en la escuela, donde deben promoverse actividades que permitan fortalecer los lazos de amistad entre los niños.

La amistad no se impone, uno escoge a sus amigos. Este valor refleja la necesidad que tenemos todos los seres humanos de comunicarnos con otros, de expresar y recibir afecto. Por eso, la amistad es un valor que toda persona debe cultivar. Todos necesitamos a alguien en quien confiar, con quien compartir o a quien podamos llamar cuando las cosas se ponen difíciles.

La amistad respeta la forma de ser de los demás al aceptar sus diferencias y al aprender de ellas. Dentro de la familia, es importante que como padres fomentemos la amistad en pareja como un ejemplo que deben seguir los hijos.

Es importante que nuestros hijos tengan lazos de amistad, pero también es necesario que vigilemos con qué personas se relacionan, pues algunas amistades pueden ser positivas en su vida, y otras pueden llevarlos a vivir experiencias desagradables con consecuencias terribles.

El lazo de mayor fortaleza fuera de la familia es el valor de la amistad.

En conclusión, para el bienestar de una sociedad es necesario que exista una educación en valores que oriente el comportamiento de sus integrantes.

Hablar de los valores es una cosa, como lo hemos hecho hasta ahora, pero vivirlos es otra historia. Sin embargo, llevarlos a la práctica no es tan difícil como parece, sólo necesitamos esfuerzo, concentración y perseverancia, apropiarnos verdaderamente de ellos.

La familia puede hacer mucho para recuperar estos valores. Los padres tenemos la obligación de reflexionar sobre la educación que le estamos dando a nuestros hijos, y en caso de que estemos un poco alejados de esta labor, retomar el camino que nos lleve en la dirección correcta.

Una persona que adquiere valores desde la niñez y es guiada en su adolescencia por adultos que los fomentan, difícilmente terminará en una correccional por cometer algún acto delictivo. Será una persona que buscará el bien común, trabajará en favor de los demás, encontrará la felicidad en él mismo.

Estos son los hombres y mujeres que necesitamos formar para construir el México que deseamos, alejado de la violencia y la inseguridad.

3

Cyberbullying, sexting y cutting

Es importante reflexionar que la conducta violenta del adolescente es el resultado de la violencia que vive día a día en los diferentes ámbitos de su vida. Y resulta particularmente alarmante la influencia que tienen en este problema los medios de comunicación, como la Internet, de la cual se ha derivado recientemente el *cyberbullying* y el *sexting*. Por otra parte, el *cutting* también resulta un problema que preocupa mucho a los padres de familia y docentes, pues al no ser un tema tan estudiado, no cuentan con suficiente información que les proporcione las herramientas necesarias para ayudar a los adolescentes.

Pero, ¿cómo podemos identificar a los adolescentes que viven estos problemas?

Signos de estrés en los adolescentes

Hay experiencias que siempre resultan estresantes para los niños y los adolescentes, como los conflictos familiares, la pérdida de un ser querido, el divorcio de los padres, los cambios escolares, etcétera.

Sin embargo, los adolescentes suelen sentir más estrés a causa, por ejemplo, de pensamientos negativos sobre ellos mismos, relaciones amorosas, aumento de las exigencias escolares, presión de los compañeros, la necesidad de ser aceptado y tener éxito.

Es muy importante saber reconocer a tiempo los signos de estrés en nuestro hijo adolescente y no esperar a que él nos explique que se siente de esa manera, porque lo más probable es que ni él mismo sepa qué le pasa. Si estamos alertas, evitaremos que el estrés derive en un problema mayor.

Nuestra juventud tiene toda la tecnología a su alcance, pero también posee información que no necesita, literatura que ofende, imágenes que provocan, etcétera.

Por este motivo, debemos poner especial atención ante la presencia de algunos de los siguientes signos de estrés:

- Aislamiento.
- Enojo repentino.

- Excesiva autocrítica.
- Tendencia a correr mayores riesgos.
- Indiferencia.
- Cambio de humor.
- Dormir en exceso.
- Negar tener algún problema.
- Desaliñarse.
- Cambio en su forma de vestir.
- Oír música distinta de la acostumbrada.
- Contradecir todas las indicaciones o peticiones.
- Baja repentina de calificaciones.
- Hablar mucho con la misma persona (por teléfono, *chat* en Internet, de forma personal).
- Agachar la cabeza.
- Cubrirse el rostro con el cabello.
- Insistencia en tener algo que antes no le agradaba, por ejemplo: querer un perro cuando siempre ha preferido los gatos; tener una bicicleta cuando nunca le ha gustado hacer ejercicio.

Si nuestro hijo presenta algunos de estos signos, es importante actuar rápidamente. Hablar con él sobre lo que vive es un buen comienzo; hay que tratar de comprenderlo y ofrecerle alternativas de solución. Esto implica que como padres, dediquemos el tiempo necesario para comunicarnos con él; que nos organicemos de tal forma que las actividades que realizamos en un día no intervengan con la notable labor de conversar con nuestro hijo sobre lo que está viviendo.

Debemos esforzarnos por dejar a un lado nuestro propio estrés, cansancio, enojo, problemas, frustración, etc., para que podamos ayudar a nuestro hijo. Y en caso de necesitar apoyo, acudir a un profesional será la mejor opción, pues no sólo ayudará a nuestro hijo, también podrá orientarnos a nosotros e incluso, si es necesario, a sus profesores.

Si no ayudamos a nuestros adolescentes a canalizar el estrés, con toda seguridad ellos lo reflejarán o manifestarán en conductas negativas como el *cyberbullying* o *sexting*, o en prácticas autodestructivas como el *cutting*.

37

Cyberbullying

El *ciberbullying* o *bullying* cibernético se refiere al hostigamiento, intimidación y agresión psicológica a los adolescentes a través de medios electrónicos como la Internet y el teléfono celular. A partir de estos medios se difunden correos, información personal, videos o fotografías que atentan contra la intimidad del acosado. En este tipo de hostigamiento también suele haber más de un acosador que agrede a uno o varios adolescentes.

En el *bullying* cibernético, es fácil que el *bully* permanezca en el anonimato, por lo que se siente seguro, protegido y libre para continuar insultando y dañando a su víctima o víctimas. Igual que en el *bullying*, el adolescente no denuncia o informa a sus padres o profesores que es víctima de este acoso, pues siente miedo o vergüenza, ya que las agresiones que sufre van más allá de insultos difundidos por Internet, por ejemplo:

- Se suelen subir fotografías de la víctima en situaciones comprometidas (ya sean reales o producto de un fotomontaje), o simplemente para que voten por ella como la persona más fea, la menos inteligente, la más "gordita", etc. Todo esto con el fin de avergonzarla frente a los demás compañeros de la escuela.
- Se dejan comentarios ofensivos en foros –como el *Facebook*–, o el agresor participa agresivamente en *chats* haciéndose pasar por la víctima.
- Mediante correo electrónico, se difunden rumores ofensivos en cuanto a la imagen y comportamiento de la víctima.
- El acosado también recibe insultos o mensajes amenazantes en su teléfono portátil.

Esta modalidad de hostigamiento se presenta con más frecuencia de la que pensamos, y nuestros hijos, en mayor o menor medida lo han vivido, pues todo niño o adolescente que tiene acceso a una computadora conectada a Internet o cuenta con un teléfono portátil, es candidato para ser hostigado por estos medios.

Como padres de familia, quizá nos preguntamos: ¿cómo es posible que mi hijo sea atacado en la escuela donde se supone que debe estar seguro? ¿Por qué los directivos y profesores no hacen nada para cuidarlo? ¿Qué clase de personas asisten a su escuela o colegio? Puede haber muchas respuestas al respecto, sin embargo, resulta importante subrayar que el hostigamiento o acoso escolar no respeta sexo ni clase social; este problema se presenta tanto en escuelas públicas como privadas, pues siempre hay adolescentes que, por múltiples causas, son violentos, se sienten frustrados o incomprendidos por sus familias y por su entorno social.

Es por eso que todo el tiempo está presente el riesgo de que nuestros hijos sufran algún tipo de hostigamiento; independientemente de cómo o cuál sea el medio, los resultados son los mismos: estudiantes que sufren maltrato psicológico por medio de amenazas constantes, que pueden ser desde un simple apodo aludiendo a algunos de sus rasgos o características físicas, hasta el chantaje (el *bully* amenaza a su víctima diciéndole que si le cuenta a su familia lo que sucede, todos podrían resultar lastimados).

El hostigamiento cibernético llega a ser tan severo, que la víctima suele recibir diariamente entre 25 y 70 mensajes ofensivos de diferentes remitentes, ya sea en su correo electrónico, en las redes sociales en las que participa o en su teléfono celular. Esto trae como consecuencia que el adolescente hostigado se sienta sin salida y entonces busque soluciones equivocadas para salir del problema: el abandono de los estudios (en el mejor de los casos) y el suicidio.

Desafortunadamente, en cualquier tipo de hostigamiento el *bullied* (víctima) siempre tiene un sentimiento de culpa inmenso, el cual se refleja en su aislamiento y la mayor parte del tiempo se siente irritado, molesto. Y es que el hostigador le provoca tal miedo a su víctima, que le impide hablar sobre lo que le sucede y menos aún puede defenderse, por lo que tiene que sufrir diariamente el "castigo" (insultos o maltrato físico).

Como el adolescente hostigado no habla en casa sobre sus problemas, es lógico que los padres no comprendan por qué su hijo se comporta de tal o cual forma. Entonces el *bullied*, además de sobrellevar los abusos que vive en la escuela, también tiene que escuchar a diario las llamadas de atención de sus papás: "Cambia, tienes que socializar más"; "No seas tan callado o tan serio, qué va a pensar la gente", etc. Esta situación hace que el adolescente se aísle todavía más y continúe siendo presa fácil del hostigamiento escolar.

Con base en las encuestas realizadas tanto en escuelas públicas como privadas, y en los distintos niveles educativos (*véase* anexo al final del libro), es dos a uno la probabilidad de que en un acto de violencia o abuso escolar el hostigador sea una mujer. Esto es posible, dado que el *bullying* no necesariamente es un acto de fuerza física, más bien se trata de una relación de poder, es decir, de quién puede ejercer más poder sobre el otro.

En conclusión, los padres tenemos la obligación de hablar con nuestros hijos acerca de los peligros que existen en Internet, sobre todo en las nuevas redes sociales. Debemos hacerlos conscientes sobre las consecuencias graves y negativas de ser un agresor mediante el *bullying* cibernético. Para ello, también es importante que nos involucremos en las nuevas tecnologías.

Por otro lado, si descubrimos que nuestro hijo es víctima del *cyberbullying*, lo primero que tenemos que hacer es hablar con él para que exprese cómo se siente; tranquilizarlo y hacerle hincapié de que esto no es culpa suya y que nada le pasará a la familia por haberlo comentado. Después tendremos que hablar con los profesores o con los directivos de la escuela para que tomen cartas en el asunto; también es su deber proteger del acoso a los alumnos que vivan este problema.

Si todos como sociedad nos damos cuenta de que el acoso escolar realmente se está viviendo en todos los niveles educativos, entonces seremos conscientes de qué tan importante resulta educar a los hijos en valores y de que hoy, más que nunca, la comunicación con ellos es fundamental para detectar si están pasando por una situación que pone en riesgo su salud física, mental y espiritual. Si no actuamos pronto, nunca bajará el porcentaje de muertes en jóvenes menores de 18 años a causa del *bullying*.

Sexting

Este es el nombre del último fenómeno que comprende a dos actores importantes: adolescentes y nuevas tecnologías. El *sexting* consiste en la difusión o publicación de fotografías o videos de tipo sexual o atrevidas, a través de Internet o teléfono portátil.

Los adolescentes se fotografían parcial o completamente desnudos y reenvían las imágenes a sus amigos más cercanos. El problema se presenta cuando se exceden esos límites y la broma se convierte en humillación.

El *sexting* puede acabar en implicaciones jurídicas, pues las autoridades consideran que quien divulgue este tipo de material, y más aún, sin el consentimiento del afectado, incurre en un delito. Entonces, ¿se trata de una simple "travesura", o tiene que ver más con delitos contra la intimidad, la libertad sexual o con la pornografía infantil?

Algunos adolescentes se fotografían o se dejan filmar por diversión, por imitar a sus amigos, o por presión; en este último caso, por ejemplo, uno de los adolecentes puede presionar a su novia para que le envíe una fotografía inapropiada, pero una vez que rompen su relación, éste circulará la imagen entre sus amigos o conocidos sin permiso de la afectada. Quizá en alguna ocasión, una joven fotografía con su teléfono celular a su amiga cuando se están probando ropa en una tienda, y como broma decide enviar la imagen a algunos de sus amigos. Lo que no sabe esta chica es que, como estos contenidos también suelen distribuirse en Internet, expondrá a su amiga al chantaje, al acoso y a la humillación. Problema que perseguirá a la víctima durante años, afectándola psicológica y socialmente.

Cualquiera que sea la historia detrás del *sexting*, el resultado siempre será el mismo: humillación y acoso colectivo, por lo que la o el afectado sufrirá un daño enorme, muchas veces orillándolo al suicidio.

Una vez más, este grave problema requiere de la intervención de los padres de familia, quienes debemos estar al tanto de lo que hacen o sufren nuestros hijos. Si le regalamos un teléfono portátil a nuestro hijo, tenemos que controlar las recargas telefónicas; de esta manera el adolescente, al no contar con suficiente crédito, no tendrá oportunidad de difundir sus propias imágenes o las de alguien más.

También es importante que platiquemos con nuestros hijos sobre el daño emocional que ocasiona esta conducta y que les expliquemos las consecuencias que puede sufrir quien lo practica y quien es víctima. Que comprendan que si se respetan a ellos mismos, no harán algo humillante y tampoco se lo pedirán a quienes los quieren y aprecian.

Cutting

Es una modalidad de violencia que consiste en una serie de cortes superficiales que el adolescente se hace con diferentes objetos (no necesariamente cuchillos o navajas) como una forma de descargar su dolor emocional por ser víctima de hostigamiento.

Los adolescentes que viven esta situación, por lo general se hacen cortes poco profundos en muñecas, antebrazos o en las piernas, y siempre tratarán de cubrirlos con vestimenta larga o con cualquier otro objeto que pueda tapar las heridas. De esta manera evitan que sus padres o profesores se den cuenta y los cuestionen al respecto.

El adolescente no puede resolver solo este problema, por eso los papás estaremos atentos a las conductas de nuestros hijos. A la primera sospecha de que algo anda mal, la comunicación será fundamental. Tenemos que hablar con nuestros hijos, interesarnos por sus problemas, escucharlos sin juzgar y buscar ayuda con un profesional. No podemos sólo prohibirles que dejen de hacerse daño, porque no funcionará.

Enseguida compartiré con el lector el caso de una paciente que muy amablemente me permitió exponer su caso, como una forma de ayudar a otros adolescentes que estén viviendo alguna situación parecida.

Esta paciente, de 15 años, tenía un grupo de seudoamigos que constantemente se referían a su sobrepeso y aspecto físico, el cual consideraban poco atractivo, pero esto no era cierto, se lo decían sólo porque había rechazado como novio a un chico de la "banda", quien al sentirse ofendido y carente de valores morales y éticos (característica de un *bully*), comenzó a hostigar todos los días a la adolescente diciéndole que cómo era posible que viviera tan tranquila siendo "gorda y fea". Ella se molestaba y trataba de defenderse, pero en ese momento entraban en acción los demás acosadores (miembros del grupo), quienes reforzaban los insultos.

Como era de esperarse, esta situación comenzó a afectar poco a poco a la adolescente, hasta que llegó al punto de agredir a su hostigador, quien astutamente le cambió la jugada. Éste le sacó un cúter y se lo entregó diciéndole que ella era la que tenía que castigarse, pues era gorda y fea, que se desquitara consigo misma. Ella, llena de rabia e impotencia, tomó el cúter y empezó a hacerse pequeñas heridas que comenzaron a sangrar, pero que irónicamente la hicieron sentirse bien.

Y desde ese momento la adolescente pensó, equivocadamente, que la culpable de todo era ella, y que sus hostigadores tenían razón al decirle que debía castigarse.

Pasaban los días y la joven continuaba siendo acosada y manipulada para seguir lastimándose cada vez más. Carente de autoestima, al no reconocerse como alguien valioso, llegó a realizarse 32 cortes en el brazo izquierdo, y después de tanta pérdida de sangre, fue inevitable que se desmayara en la escuela, pero de alguna manera esto resultó positivo, pues las autoridades escolares y sus padres (que ya sospechaban algo malo) descubrieron la terrible realidad que vivía la adolescente.

Los padres buscaron ayuda y es así como esta adolescente llegó a tomar terapias a mi consultorio. Después de siete meses de tratamiento, recuperamos a la chica llena de ilusiones, de amor, inteligente, bella por fuera y por dentro. Al fin pudo superar esta etapa difícil de su vida e incluso perdonó a los que por mucho tiempo la hostigaron. Hoy muestra con orgullo su brazo lleno de cicatrices, pues esto le recuerda lo fuerte que es y que nunca más dejará que alguien intervenga negativamente en su vida.

Esta adolescente me acompañó a dar algunas conferencias sobre el *cutting*, como un ejemplo de la realidad que viven los adolescentes en el ambiente escolar, pero también como un ejemplo de que siempre existen soluciones ante la adversidad y que nunca faltarán motivos para seguir viviendo y ser feliz. Indudablemente ella se reinventó y merece el título de "guerrera".

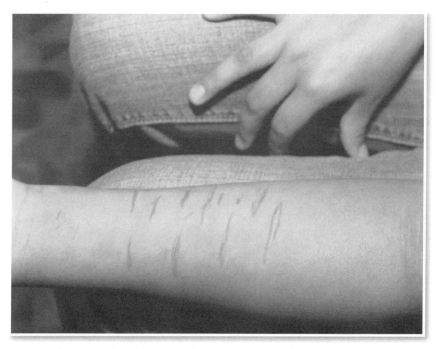

Con la ausencia de autoestima aparecen cánceres sociales, los cuales denigran la dignidad del ser humano. El *cutting* es un tipo de violencia, pero es reversible el daño psicológico.

4

Prevención del
bullying

Hasta aquí hemos hecho un recorrido sobre qué es el *bullying*, cuáles son las causas de este problema, quiénes son susceptibles de sufrir acoso escolar y cómo afecta sus vidas. También hablamos brevemente acerca de otras modalidades de violencia como el *ciberbullying*, el *sexting* y el *cutting*.

En este capítulo hablaremos sobre la importancia de prevenir el acoso escolar desde la familia y la escuela, pues muchas veces las causas de este problema social se originan en estos ambientes y es ahí donde hay que intentar resolverlo. Enseguida expondremos algunas de las posibles medidas de prevención contra el *bullying*.

¿Qué puede hacerse desde la familia?

Recordemos que la familia es la principal fuente de amor y educación de los hijos; a partir de ella es que aprenden desde la infancia a vivir con valores, normas y comportamientos positivos que los convertirán en buenos ciudadanos, útiles a su país.

Según los profesionales en acoso escolar, "la ausencia de reglas, la falta de supervisión y de control razonables de la conducta de los hijos fuera del colegio, de lo que hacen y con quién van, […] la falta de comunicación… y peleas en la familia, pueden llevar a que los hijos adquieran conductas agresivas".[1]

[1] Ale Velasco, *No me humillen. Guía para padres, maestros y alumnos para afrontar el bullying*, Trillas, México, 2011, p. 83.

Así que la estructura y dinámica de cada familia y la manera en que los papás y mamás educan son aspectos fundamentales que hay que tener en cuenta, pues éstos determinarán en gran medida que un adolescente llegue a ser un *bully* (agresor) o *bullied* (víctima) en sus relaciones con sus iguales.

Por lo anterior, es importante evitar que el hogar sea un escenario de peleas o discusiones, pues los hijos, que son el reflejo de lo que se vive en casa, aprenderán que vivir en la violencia es lo normal y, por tanto, su comportamiento en la escuela será agresivo. Así que los problemas entre los papás nunca deben afectar a los hijos; si no pueden conciliar sus diferencias, acudan a terapia de pareja y si aun así la relación tiene que terminar en un divorcio, traten que sea en los mejores términos y comuniquen la decisión a los hijos de la manera más sutil posible para no provocarles desajustes emocionales.

Lo primero que deben hacer los padres de familia es reflexionar qué tanto nos comunicamos con nuestros hijos, ¿sabemos qué les pasa?, ¿cuáles son sus gustos?, ¿quiénes son sus amistades?

Sin duda, la **comunicación familiar** es un elemento básico para prevenir el *bullying*. Por eso debemos mantener una comunicación abierta con los hijos para prever cualquier situación de peligro.

La familia es la única herramienta sólida que mantendrá a nuestra sociedad libre de hostigadores y hostigados.

Entonces, qué tan importante resulta preguntar: "Hijo, ¿te pasa algo?" Pues la mayoría de veces, los padres y aun los profesores no se dan cuenta del acoso escolar que sufren sus hijos y alumnos, pues éstos no lo comentan por miedo a represalias o por vergüenza. Así que constantemente hay que preguntar a los hijos cómo está su vida y estar muy atentos ante cualquier signo o síntoma que presenten de este problema (los cuales mencionamos en el capítulo anterior).

Pero, ¿qué debemos hacer para tener una buena comunicación con nuestros hijos?

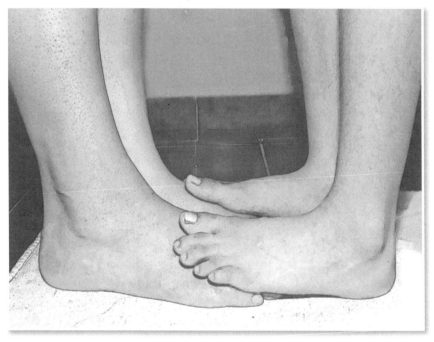

El apoyo de la familia es fundamental; fortalezcamos los lazos y la unión en el hogar.

Lo primero es generarles **confianza**, si los hacemos sentir que pueden contar con nosotros, ellos nos compartirán sus inquietudes y problemas. También debemos aprender a **escucharlos**, dejar

49

que expresen sus sentimientos positivos y negativos, y por ningún motivo juzgarlos, sino tratar de comprenderlos. En este punto, no está de más señalar que muchos padres a veces tienen la costumbre de comparar la conducta o el aspecto físico de los hijos con algún familiar, entonces, son muy dados a decir que si su hijo se comporta bien o mal es porque se parece a tal o cual familiar. Esto es un grave error, pues nunca debemos comparar a los hijos con nadie, ni siquiera con nosotros mismos. Debemos recordar que todos somos únicos e irrepetibles, y aunque somos distintos en características físicas, gustos y forma de pensar, merecemos respeto.

Por ejemplo, pobre de nuestro hijo si alguno de los familiares llega a cometer una imprudencia, porque en ese preciso momento se le dice: "No sea que en una de esas, como te pareces tanto al tío Trino, vayas a hacer una de la tuya." Y el pobre hijo o hija, que ni la debe ni la teme, ya fue culpado de algo que ni se imaginó, pero como tenemos miedo de que nuestro vástago pueda comportarse inadecuadamente, se lo advertimos, según nosotros para prevenir, pero no pensamos que quizá le damos el pretexto ideal de que como se parece al tío Trino, puede hacer alguna travesura aunque no le haya pasado la idea por la cabeza. Y como es igualito al tío, no podemos culparlo. Dejemos de crear antecedentes históricos familiares que influyen negativamente en los hijos que tanto queremos.

Por otra parte, debemos trabajar en la *comunicación asertiva*, es decir, "la comunicación que expresa con claridad, en el momento oportuno [...] lo que se siente, se piensa y se cree, de tal manera que en una comunicación asertiva hay seguridad, firmeza y valores".[2]

Como ya lo mencionamos, la comunicación con los hijos implica ofrecerles tiempo de calidad para estar con ellos, y aprovechar cada momento para trasmitirles valores tan importantes como el respeto y la tolerancia. Guiarlos, pero no protegerlos, pues esto les provocaría inseguridad.

---

[2] Martha Guerra de Alcántara, *Prevenir el bullying desde la familia*, Minos Tercer Milenio, México, 2009, p. 84.

La manera más clara de saber que estamos ganando terreno con nuestros hijos es cuando ellos se acercan y nos dicen algo como: "Pa', ¿tú qué harías…?", o "Ma', en caso de que tú tuvieras que decidir entre…", etc. Por favor, cuando tengamos esta oportunidad de comunicarnos con los hijos, **no** contestemos con frases como "En qué estás metido", "Y ahora qué hiciste", "Por qué me preguntas eso"; estas respuestas lejos de darles confianza para seguir dialogando, lo único que provocarán es fracturar la comunicación y que ellos se den la vuelta y busquen la respuesta con otras personas, que quizá no sean las más indicadas para aconsejarlos.

El frenado

En la comunicación con nuestros hijos la técnica del "frenado" resulta una herramienta muy importante. Este es un ejercicio que consiste en intentar hacer claro nuestro pensamiento lleno de "ruido". Los adultos almacenamos en nuestra memoria una serie de sucesos llamados experiencias, las cuales no necesariamente son agradables y no quisiéramos que nuestros hijos vivieran. Todas esas experiencias nos manifiestan de manera clara nuestros temores, traumas, gustos, los cuales

Escuchar antes de prejuzgar hace que la comunicación sea eficaz, logrando **el frenado.**

51

difícilmente coincidirán con la manera de ser de nuestros hijos; todo esto es lo que consideramos como "ruido", y es precisamente este ruido el que debemos llevar al proceso de "frenado". Es decir, detener todo el ruido que tenemos como antecedente de nuestra vida, y **nunca** compararlo o imaginar que a nuestros hijos va a sucederles lo mismo, o que tarde o temprano les va a pasar, y menos aún hacérselos saber como una verdad absoluta. Así pues, al poner en práctica "el frenado" nos ocuparemos de lo que a cada momento nos manifiestan nuestros hijos como sus principales necesidades: tiempo, atención y consejos para poder sobrevivir en esa "jungla" que es la escuela, donde por más esfuerzos que realice la autoridad escolar, sin el adecuado plan de trabajo y la preparación mediática, el profesor se encuentra atado para atender a los escolares que sufren hostigamiento, sin importar el nivel educativo en que se encuentren.

Aunado a esto, la actitud que adoptamos los padres de familia cuando nos damos cuenta de que nuestro hijo tiene algún problema, también resulta un factor negativo, pues nos presentamos en la escuela a exigir respuesta de "lo que sucede"; pero, ¿acaso nosotros sabemos qué les sucede a nuestros hijos?, o ¿sólo queremos intimidar a los directivos o al profesor con nuestra actitud de reclamo, para así sentir que estamos haciendo lo correcto? Preocuparnos de nuestros hijos no significa de ninguna manera pedir respuestas a "algo" que ni siquiera sabemos cómo sucedió o cómo sucede; lo ideal es saber qué preguntar. Por ejemplo: "Profesor, de una semana a la fecha mi hijo se ha comportado de manera distinta, ya no quiere asistir a la escuela y bajó sus calificaciones, ¿usted sabe si le pasa algo?" O, "¿tiene usted idea de qué le sucede a mi hijo?".

Si la respuesta es afirmativa, escuchemos con atención las palabras del profesor. De lo contrario, compartamos lo que está sucediendo para que surjan soluciones inmediatas. Un buen comienzo sería observar durante ese día el comportamiento de nuestro hijo y de sus compañeros cercanos, y así encontrar respuestas al comportamiento distinto de nuestro hijo.

Amar es respetar el derecho de nuestros hijos a pensar y ser diferentes.

Colaborando con el profesor conseguiremos que los problemas de conducta y comportamiento que tienen los escolares, tanto los hostigados como los hostigadores, disminuyan cada vez más.

Por otra parte, también es fundamental que controlemos y supervisemos las conductas de nuestros hijos adolescentes, es decir, estar al tanto de lo que hacen, a dónde van, cuáles son sus intereses, quiénes son sus amigos. Esto implicará determinar los límites y las normas para guiar su conducta dentro y fuera de casa, y en consecuencia vigilar el cumplimiento de las mismas.

Cuando me refiero a que los padres debemos estar al tanto de lo que hacen nuestros hijos, también incluye que **vigilemos** qué clase de videojuegos eligen para entretenerse o qué tipo de programación están viendo por televisión o Internet, y **cuánto tiempo** dedican a ello. En su gran mayoría, estos medios trasmiten contenidos violentos que motivan a los niños y adolescentes a tener conductas agresivas. Por tanto, es indispensable que tanto los padres como los profesores sugieran a los adolescentes otro tipo de actividades recreativas, como hacer deporte, caminar en el parque, practicar algún bailable, reunirse con los amigos para formar "círculos de lectura", etc. Es decir, que nuestros hijos comprendan que existen más opciones para aprovechar mejor su tiempo libre.

También es fundamental que enseñemos a los hijos cómo hacer nuevos amigos, si los que tienen actualmente no son los más idóneos porque influyen de forma negativa en él (ella). Por medio del ejemplo, mostrarles que la mejor manera de resolver algún conflicto es a través del diálogo y no de la venganza.

Por último –y no por eso menos importante–, los padres debemos involucrarnos más en la vida escolar de nuestros hijos; informarnos más sobre el tema del *bullying*, ¿cómo?: leyendo, asistiendo a conferencias, pláticas, o talleres que imparta la escuela, o si no, buscarlos de forma independiente. "Hablar en casa acerca del *bullying*, de los agresores y de las víctimas, de los efectos del *acoso* y de cómo manejarlo."[3] De esta manera prepararemos a nuestros hijos para que puedan enfrentar el problema, si se diera el caso.

¿Cómo prevenir desde la escuela?

La escuela desempeña un papel fundamental en la prevención del *bullying*. Para que puedan actuar tanto directivos como profesores, es importante que primero abran los ojos a la realidad y que se den cuenta de que el acoso o

---

[3] María T. Mendoza Estrada, *La violencia en la escuela. Bullies y víctimas*, Trillas, México, 2011, p. 62.

violencia escolar sí existe en sus escuelas y, por tanto, en su salón de clases. Que cualquiera de sus alumnos puede estar siendo víctima de acoso.

Una vez que se reconozca el problema, lo siguiente será definir acciones y tomar decisiones para tratar de erradicarlo. Las siguientes pueden ser algunas alternativas de solución:

1. Supervisar constantemente a los alumnos en los salones, baños, biblioteca, y en el patio. De esta manera podrán detectarse conductas negativas que estén realizando algunos estudiantes.
2. Llevar a cabo campañas para prevenir el acoso escolar y de esta forma no sólo crear conciencia sobre el problema para que no siga ocurriendo, sino también para fomentar la integración de los alumnos.
3. Implementar un sistema de denuncia anónima donde los estudiantes puedan comunicar cualquier tipo de problema, sobre todo si son víctimas de hostigamiento, o si alguno de sus compañeros lo está viviendo. Que estén seguros que al denunciar, no serán expuestos por expresarse, por lo que no deben tener miedo.
4. Si un profesor descubre que uno de sus alumnos sufre abuso escolar, debe informarlo inmediatamente a los directivos de la escuela y a los padres de familia, para que en conjunto busquen soluciones. También se deberá contactar a los padres del o los agresores para solicitar su inmediata intervención.
5. Establecer claramente las reglas de la escuela y las acciones que se llevarán a cabo en conductas como el *bullying*.
6. Reforzar el tema de educación en valores. Y cuando un estudiante se burle, amenace o le pegue a otro compañero, el profesor tendrá que intervenir para que esa conducta no se repita.
7. Los docentes deben hacer de sus aulas lugares libres de violencia, para que sus alumnos se sientan seguros

y puedan desarrollarse mejor. Por lo que el profesor debe:

- Tratar con respeto a sus estudiantes.
- Fomentar una buena comunicación con ellos.
- Ser tolerante.
- Hablar de la mejor manera, sin ofender ni humillar cuando quiera trasmitir algún mensaje.
- Pedir las cosas con educación y cortesía, etcétera.

8. Los profesores pueden apoyarse en los alumnos para identificar casos de acoso; deben identificar muy bien quién puede darles información valiosa.
9. Que los profesores se capaciten sobre el tema del *bullying* para estar preparados y responder a las necesidades de sus estudiantes.
10. Ayudar a los alumnos a que aprendan a tener calma, a que se sientan seguros de sí mismos y que trasmitan esas conductas a los demás compañeros de la escuela.

La lista podría ser larga, sin embargo, no importa qué tanto hemos dicho, sino más bien cuánto llevaremos a la práctica. Este es el gran reto, que las palabras no se las lleve el viento y que cada uno de los que estamos involucrados con la educación de los niños, adolescentes y jóvenes, nos comprometamos realmente a crear espacios donde los estudiantes lleven a cabo actividades por el bien de los demás, disminuyendo las conductas agresivas, y fomentando conductas pacíficas y de amistad.

A modo de conclusión

El fenómeno del *bullying* es una realidad que se está viviendo en todos los niveles educativos de México, aunque es a nivel secundaria donde se observa con mayor claridad e intensidad este grave problema.

El *bullying* afecta tanto de forma social a quien es hostigado (se le ignora y aísla), así como psicológica (cuando la víctima sufre persecución, intimidación, chantaje, manipulación, amenazas, burlas, etc.), verbal y físicamente cuando se presentan insultos, golpes, empujones.

Desafortunadamente, este acoso u hostigamiento se extiende a otros niveles a causa de las nuevas tecnologías (Internet, telefonía móvil), es decir, se originan las modalidades *cyberbullying* y *sexting*, donde se humilla y difama a los adolescentes al subir sus imágenes a una red social, o enviar sus fotografías o mensajes de texto ofensivos a través del teléfono portátil.

En este tipo de acoso, es fácil que el agresor permanezca en el anonimato, por lo que se siente seguro, protegido y libre para continuar insultando y dañando a su víctima. Por lo general, el acosado tampoco les dice a sus padres o profesores que está siendo hostigado, pues siente miedo y vergüenza. La humillación llega a tal grado que muchos adolescentes al no soportar la presión comienzan a dañarse a sí mismos, por ejemplo, a través del *cutting*; o buscan la "salida más fácil", el suicidio.

Es preciso mencionar que todo este tipo de acoso se manifiesta de manera contundente y constante, es decir, no ocurre de manera aleatoria o de vez en cuando; el acoso es sistemático sin importar el nivel económico o social de la escuela a la que asisten nuestros hijos.

Este fenómeno tiende a crecer de manera exponencial, es por eso que cada día nos enteramos de nuevos tipos de agresiones y también nuevas maneras de "desquitarse", porque no sólo es el *bullied* el maltratado, ahora también tienden a agruparse los *bullieds* para "cazar" a sus acosadores.

Los padres también debemos hablar con los hijos acerca de los peligros que existen en Internet, sobre todo en las nuevas redes sociales. Les debemos informar sobre las consecuencias graves y negativas de ser un agresor mediante el *bullying* cibernético.

Para tratar de erradicar el problema del *bullying*, es necesario que tanto los padres de familia como profesores y directivos de la escuela a la cual asisten nuestros hijos, sumemos esfuerzos y trabajemos en conjunto.

Los padres debemos revalorar nuestra función de guías y educadores principales de los hijos. Aunque tengamos muchas cosas que hacer, si nuestros hijos nos piden tiempo para platicar con nosotros, debemos dejarlo todo; ellos son lo más importante.

Para fomentar el diálogo con ellos, debemos tener paciencia, prestarles atención cuando hablan, no juzgarlos, brindarles seguridad y confianza, demostrarles que nos interesa todo lo que pasa en su vida. Sólo de nosotros depende saber si el adolescente pasa por un problema; si nos enojamos y alteramos, lo único que conseguiremos es no enterarnos de la realidad.

Poner límites y educar en valores son claves fundamentales para que los hijos no lleguen a ser *bullies* o *bullieds*.

Es importante que padres y profesores se preocupen por dar atención tanto al acosador como a la víctima, pues ambos necesitan ayuda, aunque no de la misma manera. Si no se atiende al agresor, más adelante, con toda seguridad se convertirá en un delincuente o se involucrará en conductas antisociales.

Fortalezcamos pues, lo lazos afectivos y comunicativos con nuestros hijos y alumnos. Elevemos su autoestima, arma fundamental para que ellos sean capaces de alejarse de las situaciones de riesgo o para que no caigan en conductas negativas.

Ocupémonos de nuestros hijos, de nada sirve preocuparse.

Anexo

En este anexo se incluyen los datos estadísticos que le dan sustento a lo que se ha expuesto a lo largo de la obra. El lector podrá constatar cómo la violencia o acoso escolar está presente en los distintos niveles educativos de México.

Con ello no se busca alarmar a los padres de familia, sino más bien hacerlos conscientes de la situación para que estén atentos a la vida de sus hijos y, por qué no, de la vida de otros niños, adolescentes y jóvenes a su alrededor.

Sólo al aceptar que existe un grave problema llamado *bullying*, es como podrán formularse soluciones encaminadas a mejorar la calidad de vida de nuestros hijos.

Es importante mencionar que la información que reflejan las gráficas sólo es el **promedio** de lo que sucede en algunas instituciones educativas. La información se obtuvo de encuestas realizadas en secundarias, bachilleratos, preparatorias y universidades, tanto públicas como privadas. En total se hicieron 5000 encuestas y se tomó una muestra significativa de cada categoría para graficar.

Al final se incluyen gráficas comparativas que representan el promedio de las conductas agresivas de los tres niveles educativos encuestados.

La organización de los datos estadísticos se presenta de la siguiente manera:

- Secundarias.
- Preparatorias.
- Universidades.
- Gráficas comparativas.

Secundarias

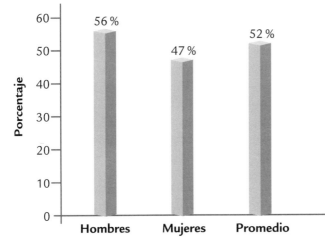

Figura 1. Un poco más de la mitad de los estudiantes a nivel secundaria se han tenido que defender a golpes. Lamentablemente las mujeres llegan a 47 % en este tipo de violencia.

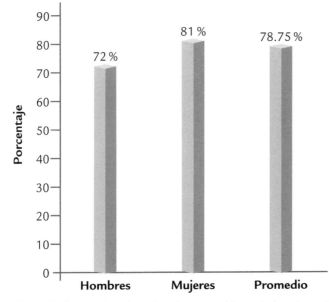

Figura 2. En cuanto a la violencia o agresión verbal, entre estudiantes, encontramos que las mujeres son más agresivas verbalmente.

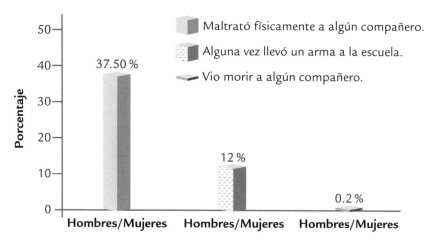

Figura 3. En la gráfica se observa cómo el maltrato físico hacia algún compañero ocupa el porcentaje más elevado.

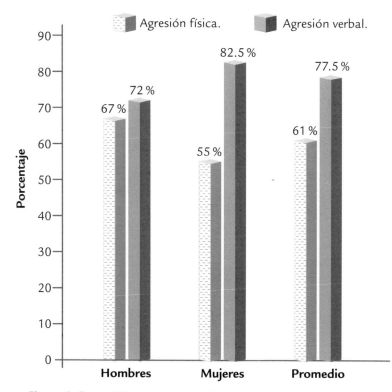

Figura 4. Esta gráfica muestra que las mujeres son más agresivas verbalmente, mientras que los hombres lo son físicamente.

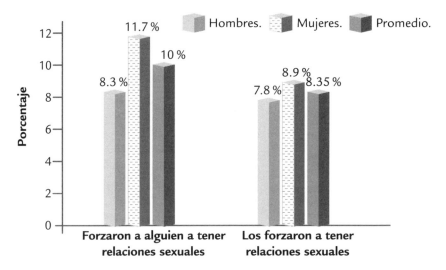

Figura 5. Esta gráfica refleja que las mujeres fueron las que más aceptaron haber forzado a algún compañero a tener relaciones sexuales. Y por otra parte, el porcentaje indica que ellas fueron las más agredidas sexualmente.

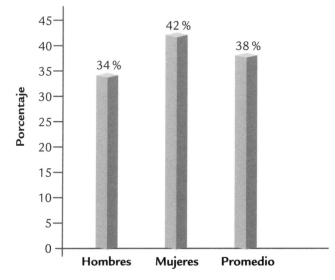

Figura 6. Considerar inferiores a las personas también es un tipo de violencia. Esta gráfica muestra que 38 % de los estudiantes piensan que existen compañeros inferiores a ellos.

64

Preparatorias y bachilleratos

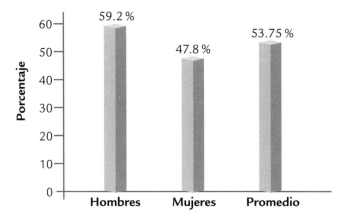

Figura 7. Porcentaje de estudiantes a nivel preparatoria y bachillerato que se han tenido que defender a golpes dentro de las instalaciones. Los hombres se destacan en este tipo de violencia.

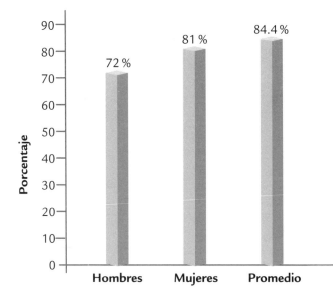

Figura 8. En cuanto a la violencia o agresión verbal, encontramos que en este nivel educativo las mujeres también son más agresivas verbalmente.

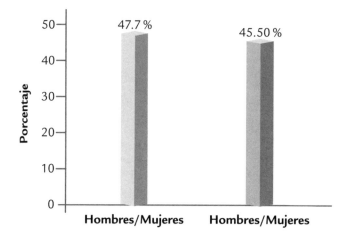

Estudiantes que vieron maltratar físicamente a algún compañero.

Estudiantes que maltrataron físicamente a algún compañero.

Figura 9. A nivel bachillerato, la gráfica muestra que es más elevado el porcentaje de estudiantes que vieron maltratar físicamente a algún compañero.

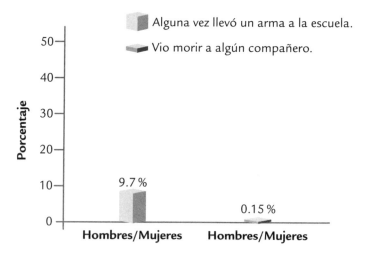

Alguna vez llevó un arma a la escuela.

Vio morir a algún compañero.

Figura 10. En promedio, 9.7 % de los estudiantes a nivel bachillerato alguna vez llevaron un arma a la escuela.

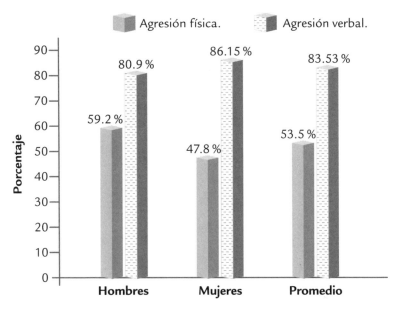

Figura 11. Esta gráfica muestra que también a nivel bachillerato las mujeres son más agresivas verbalmente, mientras que los hombres lo son físicamente.

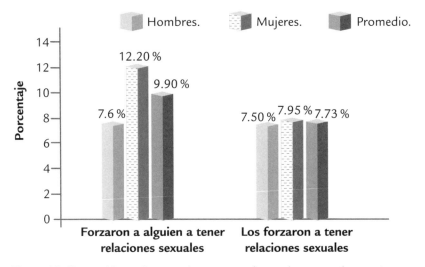

Figura 12. Esta gráfica refleja que las mujeres fueron las que más aceptaron haber forzado a algún compañero a tener relaciones sexuales. Y por otra parte, el porcentaje indica que ellas fueron las más agredidas sexualmente, como sucedió a nivel secundaria.

67

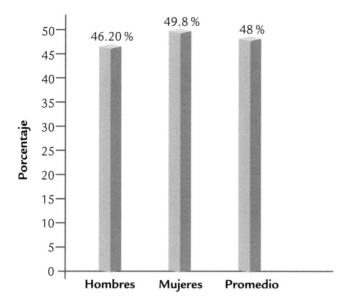

Figura 13. Esta gráfica muestra que 48 % de estudiantes piensan que existen compañeros inferiores a ellos, 10 % más que en el nivel secundaria.

Universidades

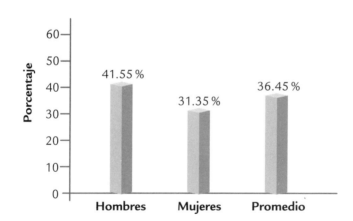

Figura 14. En las universidades, el porcentaje de estudiantes que se han tenido que defender a golpes llega a 36.45 % en promedio, sobresaliendo el género masculino.

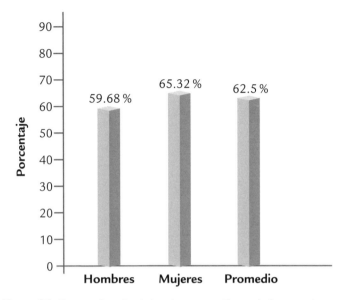

Figura 15. En cuanto a la violencia o agresión verbal, encontramos que en este nivel educativo las mujeres también son más agresivas verbalmente.

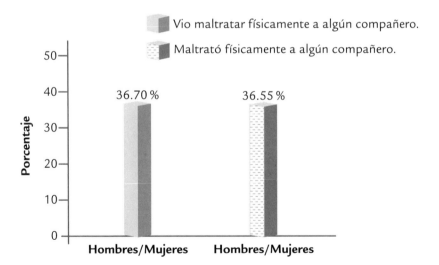

Figura 16. A nivel universitario, observamos que en cuanto al maltrato físico, el porcentaje en las dos categorías es muy parejo. Lo que significa que la violencia física desafortunadamente ocupa un nivel importante.

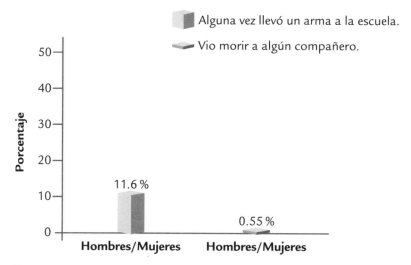

Figura 17. De acuerdo con la gráfica, a nivel universitario existe un mayor número de estudiantes que llevan un arma a las instalaciones y que ven morir a algún compañero, en comparación con el nivel secundaria y bachillerato.

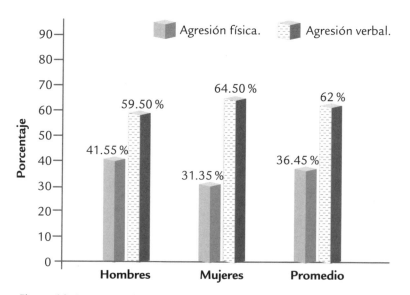

Figura 18. La agresividad verbal continúa siendo más elevada por parte de las mujeres, mientras que los hombres lo son físicamente.

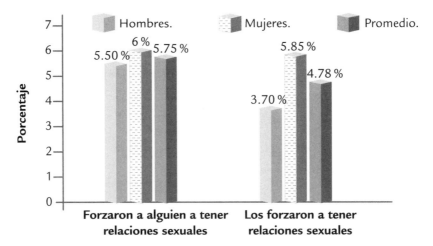

Figura 19. Esta gráfica refleja que también a nivel universitario las mujeres fueron las que más aceptaron haber forzado a algún compañero a tener relaciones sexuales. Y por otra parte, el porcentaje indica que ellas fueron las más agredidas sexualmente, como sucedió a nivel secundaria y bachillerato.

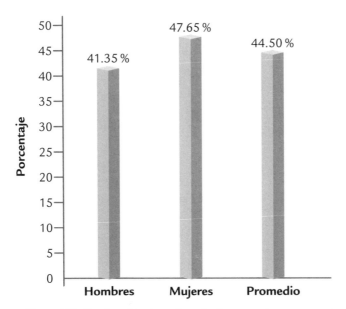

Figura 20. En el ambiente universitario, encontramos que en promedio 45.50 % de estudiantes consideran que existen compañeros inferiores a ellos, muy cercano al porcentaje del nivel bachillerato.

Gráficas comparativas (total de hombres y mujeres en los tres niveles educativos)

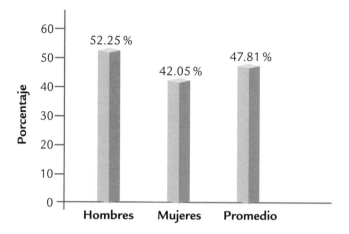

Figura 21. La gráfica muestra que en total, en los tres niveles educativos encuestados, los hombres se defienden a golpes más que las mujeres.

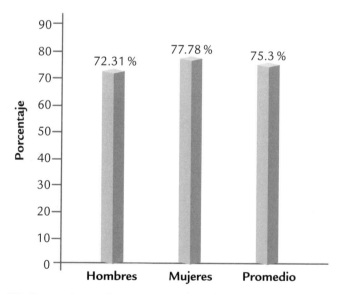

Figura 22. En cuanto a violencia o agresión verbal, encontramos que en los tres niveles educativos las mujeres también son más agresivas verbalmente.

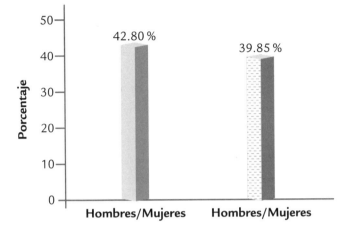

Estudiantes que vieron maltratar físicamente a algún compañero.

Estudiantes que maltrataron físicamente a algún compañero.

42.80 %

39.85 %

Figura 23. En esta gráfica comparativa observamos que la mayoría de los estudiantes de los tres niveles educativos vieron maltratar físicamente a algún compañero, y niega haber maltratado a alguien.

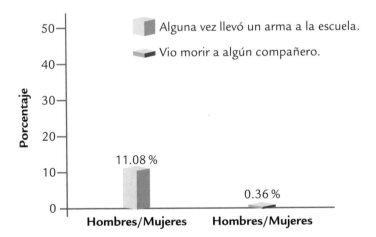

Alguna vez llevó un arma a la escuela.

Vio morir a algún compañero.

11.08 %

0.36 %

Figura 24. La gráfica muestra el total de los porcentajes de hombres y mujeres de los tres niveles educativos, que han llevado un arma a sus centros educativos y que vieron morir algún compañero.

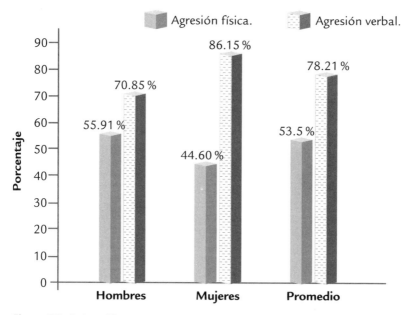

Figura 25. Esta gráfica muestra que en general, las mujeres son más agresivas verbalmente, mientras que los hombres lo son físicamente.

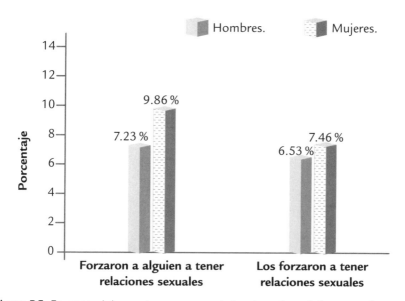

Figura 26. En general, las mujeres asumen haber forzado a algún compañero a tener relaciones sexuales. Y por otra parte, el porcentaje indica que ellas fueron las más agredidas sexualmente, en los tres niveles educativos.

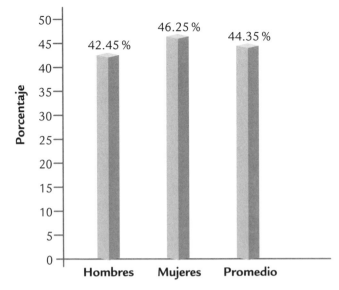

Figura 27. Desafortunadamente, en los tres niveles educativos encuestados existe un alto porcentaje de hombres y mujeres que consideran a algunos compañeros inferiores a ellos.

Conclusiones

De acuerdo con los resultados obtenidos, podemos asegurar que es fundamental acercarse a los estudiantes que se incluyeron en esta investigación de campo, con el fin de brindarles apoyo no sólo de "protección", sino también ayuda psicológica, tanto a ellos como a sus padres.

Es de destacarse que los resultados de las encuestas muestran que las mujeres forzaron mayor número de veces a tener relaciones sexuales, pero también admitieron ser víctimas de agresión sexual. Los hombres negaron haber vivido esta experiencia de abuso, ya sea por miedo o por vergüenza a las críticas y a las burlas.

Resulta alarmante que las ofensas verbales las encabecen las mujeres: están casi 5 % arriba de los hombres. Por otra parte, la discriminación sigue siendo un "foco rojo", pues el resultado general es que 43 % de los estudiantes de entre 12 y 22 años consideran que hay compañeros "inferiores" a ellos;

esto es una prueba de que los valores en nuestra sociedad cada vez son menos populares. También encontramos que mientras en las escuelas secundarias la agresividad física se manifiesta de manera clara en los hombres (56 % de los hombres se ha tenido que defender a golpes, mientras que 47 % corresponde a las mujeres), en los varones universitarios apenas llega a 41.55 % y las mujeres a 31.35 %; aunque comparativamente son resultados bajos, no dejan de ser cifras preocupantes, pues esto quiere decir que una de cada tres mujeres en su etapa universitaria manifiesta algún tipo de agresión para poder "sobrevivir" en su ambiente académico.

En otro resultado de las encuestas, también es preocupante el uso de armas: 12 % en la secundaria, 9.7 % a nivel bachillerato y 11.6 % en la universidad. En promedio, uno de cada 10 estudiantes tiene algún motivo para llevar consigo un arma a la escuela, lo que ha provocado un total de 0.36 % de muertes en los recintos educativos.

Sirva pues esta información estadística para sensibilizar a todos aquellos que siguen pensando que esto ha sucedido siempre y que seguirá igual que en décadas pasadas, donde el estudiante concluía sus estudios a pesar de sufrir cualquier tipo de violencia, y que lo único que conservó de aquellos momentos fue, en todo caso, el "apodo" que le asignaron despectivamente y que a fuerza de costumbre dejó de parecerle ofensivo y pasó a ser parte de su personalidad.

En conclusión, la manera más clara de enfrentar el fenómeno *bullying* es pasar de la preocupación a la **ocupación**. Dejemos de pensar que alguien va a venir a solucionar nuestros problemas; ¡nada de eso! Nosotros como sociedad debemos unirnos y cooperar con las instituciones educativas para lograr recuperar a la juventud que tanto necesitamos en nuestro México. Comulguemos con los principios de protección, apoyo y consolidación y llevémoslos a la práctica para que nuestras familias florezcan en este campo que en ocasiones pareciera estéril, pero sólo es porque permitimos que las hiedras venenosas crezcan sin control, sin ser podadas de manera adecuada.

Bibliografía

Baltazar, Ramos, Ana María *et al.*, *Consejos prácticos para la educación de los hijos*, Trillas, México, 2011.

Guerra de Alcántara, Martha, *Prevenir el bullying desde la familia*, Minos Tercer Milenio, México, 2009.

Luzuriaga, Lorenzo, *Diccionario de pedagogía*, Losada, Argentina, 2001.

Mendoza Estrada, María Teresa, *La violencia en la escuela. Bullies y víctimas*, Trillas, México, 2011.

Velasco, Ale, *No me humillen. Guía para padres, maestros y alumnos para afrontar el bullying*, Trillas, México, 2011.

Páginas electrónicas

Gustavo A. Gutiérrez Ramírez, "Delitos cibernéticos" en <http://www.enterate.unam.mx/Articulos/2003/octubre/delitos.htm> consulta el 20/05/11.

"Cómo prevenir el *bullying*" en <http://www.peques.com.mx/como_prevenir_el_bullying.htm> consulta el 20/06/11.

"Estrategias para prevenir y detener el *bullying*" en <http://www.educarchile.cl/Portal.Base/Web/VerContenido.aspx?ID=205182> consulta el 23/06/11.

"Funciones de la policía cibernética en México", en <http://www.elsiglodetorreon.com.mx/noticia/18839.las-

funciones-de-la-policia-cibernetica-de-me.html> consulta el 20/05/11.

"La SEP actúa contra el *bullying*" en <http://www.tipkids.com/es/cont/Psicologia/La_SEP_actua_contra_el_Bullying.php> consulta el 03/07/11.

"Uso seguro de Internet" en <http://www.icesi.org.mx/consejos/seguridad_enInternet.asp> consulta el 15/07/11.

Índice analítico

Abatimiento, 29
Acoso escolar, campañas para
    prevenir el, 55
Agradecimiento, 27
Agresión
    física, 63, 67, 70, 74
    sexual, 64, 67, 69, 71, 74
    verbal, 62-63, 65, 67, 69-70,
        72, 74
Alegría, 29
Amistad, 30
Antivalor, 24
Apatía, 29
Apodo, 39
Austeridad, 30
Autenticidad, 28
Autoestima, 14

Bien común, 27, 32
Buleado. *Véase Bullied*
Bullied, 12-13
Bully, 12-13
Bullying, 11
    cibernético. *Véase*
        Cyberbullying

Campañas para prevenir el
    acoso escolar, 55

Chantaje, 39
Chats, 38
Círculos de lectura, 54
Compañero
    maltrato físico hacia un, 63,
        69, 73
    ver maltratar a un, 66, 69
    ver morir un, 63, 66, 70, 73
Comunicación
    asertiva, 50
    familiar, 48
Conductas, tipos de, 56
Confianza, 49
Considerar inferiores a las
    personas, 64, 68, 71, 75
Consumismo, fantasma del, 30
Correo electrónico, 38
Cortes, 42
Cutting, 42-44
Cyberbullying, 38-41

Delincuencia, 58-59
Delitos contra la intimidad, 41
Denuncia anónima, 55
Deporte, 54
Depresión, 29
Desarrollo, 25
Diálogo, 54

Discriminación, 75
Divorcio, 48

Educación, 23
   doméstica, 23
   familiar, 22
Egoísmo, 27
Escuela
   arma en, 66, 70, 73
   prevención desde la, 54-56
Estrés, signos de, 35-37
Estudios, abandono de los, 39

Facebook, 38
Familia, 15, 22-23, 47
Forma de vida, 16
Fortaleza, 29
Fotografías, 38
Frenado, 51-52

Generosidad, 27
Golpes, defensa a, 62, 65, 68, 72
Guerra de Alcántara, M., 23n,
   50n

Humillación, 41

Identidad, 14
Individualismo, 27
Inseguridad, 50
Internet, 21, 24, 38, 54

Jornadas de trabajo, 15-16
Justicia, 26

Laboriosidad, 28
Libertad sexual, 41

Medios de comunicación, 11
Mendoza Estrada, M. T., 54n

Mensajes amenazantes, 38
Modelos de conducta, 16

Orden, 26

Pandilla, 14
Periódicos, 21
Pornografía infantil, 41

Radio, 21
Respeto, 27-28
Responsabilidad, 26-27
Ruido, 51-52

Salud, 41
Sexting, 41-42
Sinceridad, 28
Suicidio, 39, 42
Supervisión, 55

Tecnología, 36
   nuevas, 40
Teléfono celular, 38
Televisión, 21, 24, 54
Terapia de pareja, 48
Tiempo, 16-17

Valores, 21-22
   afectivos, 25
   carencia de, 21
   educar en, 23, 31
   espirituales, 25
   éticos y morales, 25
   familiares, 25
   intelectuales, 25
   materiales, 25
   personales, 25
   universales, 25
Velasco, A., 47n
Videojuegos, 53
Violencia, 11
   formas de, 14